**Junge**

ELI-Lektüren: Texte für Leser
jeden Alters. Von spannenden
und aktuellen Geschichten bis hin
zur zeitlosen Größe der Klassiker.
Eine anspruchsvolle redaktionelle
Bearbeitung, ein klares didaktisches
Konzept und ansprechende
Illustrationen begleiten den Leser
durch die Geschichten, und Deutsch
lernt man wie von selbst!

Anonym

Das Nibelungenlied

Nacherzählt von Daniela Stierlin
Illustrationen von Rita Petruccioli

Junge ELI Lektüren

Das Nibelungenlied
Anonym

Nacherzählt von Daniela Stierlin
Übungen: Daniela Stierlin
Redaktion: Iris Faigle
Illustrationen von Rita Petruccioli

ELI-Lektüren
Konzeption:
Paola Accattoli, Grazia Ancillani, Daniele Garbuglia (Art Director)

Grafische Gestaltung
Sergio Elisei

Produktionsleitung
Francesco Capitano

Layout
Sofia Accinelli

Fotos
Shutterstock

© 2012 ELI s.r.l
B.P. 6 - 62019 Recanati - Italien
Tel. +39 071 750701
Fax +39 071 977851
info@elionline.com
www.elionline.com

Verwendeter Schriftsatz: Monotype Dante 13/18

Druck in Italien: Tecnostampa Recanati
ERT 227.01
ISBN 978-88-536-0782-9

Erste Auflage: Februar 2012

www.elireaders.com

Inhalt

Zeichen für die Hörtexte auf der CD
Anfang ▶ **Ende** ■

Siegfried   **Brünhild**   **König Etzel**

Hagen, Vertrauter von König Gunther

Kriemhild und ihr Sohn

König Gunther

Vor dem Lesen

1 Was ist ein Schatz?

A ☐ Gold und Edelsteine
B ☐ ein Gefühl
C ☐ ein Tier

2 Wohin gehören die Wörter?

Sohn – Schwester - Worms – Vater - Hauptstadt -
Burgund - Mutter - Norden

Familie	Geographie
Vater	Hauptstadt

3 Was ist ein Held? Hast du einen Helden? Mach ein kurzes Porträt.

....
....
....
....

4 Ergänze die Wörter im Text.

Heldenepos - Geschichte - Jahrhundert - typisch - bekannt

Das Nibelungenlied ist ein *Heldenepos*........................ Es entstand im
13. .... Der Autor ist nicht .... Das
ist .... für die Heldenepik. Wichtig ist nicht die
Person, die die .... erzählt, sondern der Inhalt.

5 Welche Adjektive passen zu einem Helden?

A ☐ stark
B ☐ mutig
C ☐ schön
D ☐ böse
E ☐ dumm

6 Welche Adjektive passen zu einem König? Von den vier Adjektiven passen nur drei. Schreib sie in die leeren Kreise.

A ☐ reich
B ☐ mächtig
C ☐ stolz
D ☐ arm

König

Kapitel 1

Siegfried und der Schatz der Nibelungen

▶ 2   Im Burgund, am Hofe zu Worms, lebt im Mittelalter ein wunderschönes Mädchen. Es heißt Kriemhild und hat drei Brüder: Gunther, Gernot und der junge Giselher. Sie sind die Könige von Burgund. Viele junge Männer möchten das schöne Mädchen heiraten, aber bis jetzt konnte noch kein Mann ihr Herz erobern[1]. Eines Nachts hat Kriemhild einen Traum. Sie träumt, dass ihr ein Falke[2] gehört und zwei Adler[3] den Vogel töten. Ihre Mutter erklärt ihr den Traum: Der Falke sei ein starker Mann, den sie aber verlieren wird. Von diesem Tag an hat Kriemhild Angst, sich zu verlieben.

In den Niederlanden lebt zur gleichen Zeit ein Königssohn mit dem Namen Siegfried. Er ist der Sohn von König Sigmund und Königin Sieglinde. Siegfried ist jung, stark, schön und mutig. Alle bewundern ihn für seine Tapferkeit. Als er von Kriemhild hört, will er sie heiraten[4]. Aber

[1] **erobern** gewinnen
[2] **r Falke, en** großer Vogel
[3] **r Adler, -** großer Vogel
[4] **heiraten** zur Frau nehmen

10

seine Eltern sind dagegen. Doch er setzt seinen Willen durch und plant die Reise nach Worms. Nur die schönsten Kleider will er mitnehmen. Dann reitet er mit einer kleinen Truppe los. Sie sind lange unterwegs. Als sie endlich in der Hauptstadt Burgunds ankommen, laufen die Leute zusammen, um den stolzen Fremden zu bewundern. Auch die Könige erfahren von seiner Ankunft und fragen ihre Vertrauten[1], wer der edle Ritter[2] sei.

„Es ist Siegfried", erklärt ihnen Hagen, der treuste Vertraute: „Er hat einen Drachen[3] getötet und hat in seinem Blut gebadet. Dadurch ist er unverwundbar[4] geworden. Zudem besitzt er eine Tarnkappe, die ihn unsichtbar[5] macht und ein so scharfes Schwert[6], so dass er unbesiegbar[7] ist. Außerdem ist er enorm reich: Er hat den Schatz der Nibelungen erobert."

„Wo liegt dieser Schatz?", will König Gunther wissen. „Weit weg von hier, im Norden, wo es nur Schnee und Eis gibt", erklärt ihm Hagen. König Gunther entscheidet, den fremden Königssohn

---

[1] **r Vertraute, n** Freund, Berater
[2] **r Ritter, -** Adliger
[3] **r Drachen, -** Fabeltier
[4] **unverwundbar** unverletzlich
[5] **unsichtbar** nicht zu sehen
[6] **s Schwert, er** Waffe des Ritters
[7] **unbesiegbar** unschlagbar

wie einen Bruder am Hof aufzunehmen. Nach kurzer Zeit haben alle den mutigen Kämpfer lieb gewonnen.

So vergeht die Zeit und Siegfried lebt schon seit einem Jahr am Hofe der Burgunder-Könige, ohne dass er jedoch Kriemhild gesehen hat. Da kommt eines Tages die Botschaft[1] an, dass die Nachbarn das Burgund angreifen[2] und erobern wollen. Siegfried ist sofort bereit, den Burgundern zu helfen. Ohne Angst reitet er dem Feind entgegen. Sein Mut wird belohnt[3]: Als das feindliche Heer den Helden Siegfried erkennt, bricht es den Kampf[4] ab. Die Burgunder sind glücklich über ihren Sieg und lassen in Worms ein riesiges Fest vorbereiten. Mehr als fünftausend Gäste kommen in die Stadt. Jeder Gast erhält ein Pferd und ein kostbares Gewand als Geschenk. Die Frauen ziehen ihre besten Kleider an und machen sich so schön wie möglich. Auch Kriemhild will an den Festlichkeiten teilnehmen. Sie trägt ein seidiges Kleid mit vielen Edelsteinen. Sie ist die Schönste von allen.

---

[1] **e Botschaft, en** Meldung, Nachricht
[2] **angreifen, griff an, hat angegriffen** attackieren
[3] **belohnen** danken
[4] **r Kampf, "e** Streit, Schlacht

Als Siegfried sie sieht, kann er den Blick nicht mehr von ihr lassen. Er ist in sie verliebt. Für den Rest der Festtage bleibt er an ihrer Seite.

In der Zwischenzeit hat König Gunther gehört, dass eine schöne und starke Königin im hohen Norden lebt. Wer sie erobern will, muss sie im Zweikampf besiegen[1]. Wer gegen sie verliert[2], muss sein Leben lassen. Schon viele Helden hatten versucht, die Königin zu erobern und hatten dabei den Tod gefunden.

Nun hat aber auch König Gunther vor, gegen die starke Brünhild zu kämpfen. Siegfried will ihn daran hindern[3]. Doch König Gunther will nicht auf ihn hören. Da macht Siegfried einen Vorschlag[4]:

„Ich weiß, wo Brünhild lebt und kenne den Weg. Aber als Belohnung für meine Dienste verlange ich, dass du mir Kriemhild zur Frau gibst!"

König Gunther ist einverstanden. Er kann es nicht erwarten, Brünhild zu besiegen und sie als Braut[5] nach Worms zu bringen. Siegfried aber

---

[1] **besiegen** gewinnen
[2] **verlieren, verlor, hat verloren** nicht gewinnen
[3] **hindern** zurückhalten
[4] **r Vorschlag, "e** Idee, Einfall
[5] **e Braut, "e** Verlobte

weiß, wie stark Brünhild ist. Er muss sich einen Plan ausdenken. Er schlägt vor, dass sie nur zu viert reisen und sich als Reisende verkleiden. Auf diese Art und Weise hofft er, Brünhild zu täuschen[1].

Sie rufen Kriemhild, damit sie ihnen zwölf prächtige Kleider für die Reise einpacke. Vier Tage wollen sie in Island bleiben: Sie berechnen einen Tag für die Ankunft, einen Tag für den Empfang bei der Königin, einen Tag für den Wettkampf und einen Tag für den Abschied. Jeden Tag wollen sie sich dreimal umziehen.

Kriemhild zeigt ihnen die wunderbarsten Stoffe: weiße Seide aus Asien, braune Wolle aus Europa und goldiger Brokat aus Afrika. Sie ruft dreißig fleißige Mädchen, die sofort mit der Arbeit beginnen und die wertvollsten Edelsteine auf die Stoffe nähen. Sieben Wochen lang arbeiten sie Tag und Nacht.

Siegfried aber holt aus seiner Kammer die Tarnkappe. Das ist ein grauer, alter Mantel mit magischen Kräften. Wer ihn anzieht, wird unsichtbar und erhält die Kraft von zwölf Männern.

¹täuschen irreführen

Am Tag der Abreise weint Kriemhild.

„Ich werde deinen Bruder nach Hause zurückbringen", verspricht ihr Siegfried.

Dann fährt das Schiff los und Siegfried, der den Weg kennt, stellt sich ans Steuer[1]. Sie fahren den Rhein hinunter bis aufs offene Meer. Sie segeln[2] für neun Tage. Dann endlich sehen sie wieder Land.

„Das ist Island, das Reich der Königin Brünhild", erklärt Siegfried und deutet auf das Festland. Sie sehen grüne Wiesen und große Städte. Erst jetzt erklärt er König Gunther seinen Plan.

„Wir wollen Brünhild nicht die Wahrheit sagen. Sie soll denken, dass wir aus Abenteuerlust nach Island gekommen sind und dass ich nur dein Diener[3] bin."

„Wie du willst, Siegfried", meint König Gunther, „ich vertraue dir. Wir werden machen, was du sagst."

„Aus Liebe zu Kriemhild tue ich alles!", ruft Siegfried und steuert auf die Festung Isenstein zu, wo Brünhild wohnt.

---

[1] **s Steuer, -** Kommando
[2] **segeln** mit dem Schiff fahren
[3] **r Diener, -** Untergebener, Helfer

Worte & Wörter

1 **Wortgitter. Finde die Namen von drei Tieren, die fliegen können.**

A	C	H	I	K	L	O	N
X	G	Q	E	W	I	X	B
F	A	L	K	E	P	R	H
E	D	R	A	C	H	E	N
U	L	O	N	R	K	T	P
J	E	U	C	Y	G	E	M
M	R	I	S	U	D	Q	A
O	H	W	A	O	S	A	W

2 **Wie heißt das Gegenteil?**

Beispiel: 1 – C

1 ☐C schön   **A** besiegbar
2 ☐ unbesiegbar   **B** sichtbar
3 ☐ unverwundbar   ~~C~~ hässlich
4 ☐ unsichtbar   **D** groß
5 ☐ klein   **E** verwundbar

Lesen & Lernen

3 **Interview. Du machst ein Interview mit der Königin Kriemhild. Wie heißen die Antworten?**

1 Frage: Wie heißen Sie?

....

2 Frage: Wo sind Sie geboren?

....

3 Frage: Haben Sie Brüder und Schwestern? Wie heißen sie?

....

4 Frage: Was sind Sie von Beruf?

....

Strukturen & Satzbau

4 Die Sätze sind durcheinander geraten. Bring sie wieder in Ordnung!
Beispiel:
ist/der/Schatz?/Wo
Wo ist der Schatz?

1 reist/Siegfried/nach/Island

....

2 ist/Königin/eine/Brünhild

....

3 unverwundbar/Siegfried/ist

....

4 hat/Angst/keine/Er

....

Fit in Deutsch 2 – Sprechen

5 Thema Familie: Stell Fragen mit den Fragewörtern in den Kreisen.

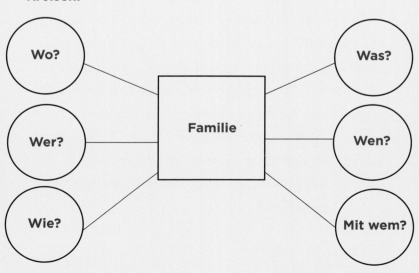

Kapitel 2

Die starke Brünhild

▶ 3 Als sie in die Nähe der Burg kommen, sehen sie wunderschöne Frauen, die aus den Fenstern blicken. Eine trägt ein schneeweißes Kleid. Siegfried fragt Gunther:

„Welche gefällt dir am besten?"

„Die Frau im schneeweißen Kleid", antwortet Gunther sofort. „Wer ist das?"

„Das ist Brünhild. Sie ist die Schönste und Stärkste von allen", antwortet ihm Siegfried. Er war schon in Island gewesen und kannte die nordische Königin.

Die vier Reisenden steigen aus dem Schiff. Siegfried führt[1] das Pferd von König Gunther und lässt ihn aufsteigen[2]. Er will zeigen, dass er nur ein Diener ist. Dann steigen auch die drei anderen auf ihre Pferde. Sie reiten zur Burg[3]. Die Edelsteine auf ihren Kleidern glitzern[4] in der Sonne. Die Burg ist riesig. Sie hat mehr als sechzig Türme[5]. Der Saal, wo Brünhild auf sie wartet, ist aus Marmor. Ihr Kleid ist aus Gold.

---

[1] **führen** befehlen
[2] **aufsteigen, stieg auf, ist aufgestiegen** aufsitzen
[3] **e Burg, en** Residenz des Königs
[4] **glitzern** glänzen
[5] **r Turm, "e** höchster Teil einer Burg

„Wer sind die Fremden?", fragt sie ihren treusten Vertrauten.

„Ich kenne sie nicht", antwortet dieser. „Der erste sieht wie ein König aus. Der zweite ist jung und der dritte scheint herzlos. Der vierte sieht wie der Drachentöter Siegfried aus."

Als Brünhild hört, dass Siegfried nach Island gekommen ist, glaubt sie, dass er um sie kämpfen will. Sie freut sich:

„Herzlich Willkommen in Island, Siegfried, was ist der Grund der langen Reise?"

„Ich bin nicht freiwillig[1] hier, edle Brünhild, ich habe nur König Gunther an deinen Hof begleitet. Er ist wegen dir gekommen."

Enttäuscht[2] macht Brünhild einen Schritt zurück: „Sag deinem König, dass er um mich kämpfen muss. Wenn er mich dreimal besiegt, werde ich seine Frau. Wenn er verliert, stirbt[3] er."

Brünhild macht sich für den Wettkampf bereit. Siegfried läuft zum Schiff zurück, um die Tarnkappe zu holen. Für die anderen unsichtbar geworden, stellt er sich hinter König Gunther.

[1] **freiwillig** aus eigenem Willen
[2] **enttäuscht** unzufrieden
[3] **sterben, stirbt, starb, ist gestorben** nicht mehr leben

Er wird an der Stelle des Königs kämpfen. Der König soll den Kampf nur nachmachen[1]. Nach kurzer Zeit kommt die isländische Königin zurück. Neben ihr gehen die stärksten Ritter: Sie tragen einen dicken, goldenen Schild[2], einen spitzen Speer[3] und einen riesigen Stein zum Kampfplatz.

Brünhild beginnt als erste. Mit gigantischer Kraft wirft sie den Speer gegen König Gunther. Siegfried, der hinter ihm steht, kann ihn stoppen. Als der König an der Reihe ist, zögert[4] Siegfried. Er will Brünhild nicht töten[5]. Er dreht den Speer mit dem stumpfen[6] Ende gegen sie. Die Königin kann den Speer aufhalten, fällt jedoch zu Boden. Wütend[7] steht sie auf und nimmt den Stein. Sie wirft ihn viele Meter weit. Doch Siegfried ist stärker als sie. Er nimmt den Stein und wirft ihn weiter als Brünhild. Brünhild hat den Kampf verloren.

„Ich und mein Reich gehören ab heute König Gunther", sagt sie traurig.

---

[1] **nachmachen** imitieren
[2] **s Schild, er** Schutz
[3] **r Speer, e** lange Waffe
[4] **zögern** nicht sofort handeln
[5] **töten** das Leben nehmen
[6] **stumpf** nicht spitzig
[7] **wütend** zornig

Inzwischen hatte Siegfried die Tarnkappe zum Schiff zurückgebracht. Als er zum Kampfplatz zurückkommt, gibt er sich unwissend.

„Wann geht es los?", fragt er Brünhild.

„Wo warst du denn die ganze Zeit?", fragt Brünhild zurück.

„Unten beim Schiff, ich hatte noch zu tun", lügt[1] Siegfried.

„König Gunther hat mich besiegt!", jammert[2] Brünhild.

„Aber sei doch froh! König Gunther ist reich und mächtig. Du wirst Königin in Worms!", ruft Siegfried, so fröhlich als möglich.

„Ich will mich zuerst von meinen Rittern verabschieden!", sagt Brünhild.

Da bekommen die Burgunder Angst. Wenn Brünhild das ganze Heer zusammenruft, sind sie verloren.

„Ich will Hilfe holen", sagt Siegfried zu seinen Reisegefährten, „und zwar so schnell wie möglich."

Siegfried fährt mit dem Schiff ins Land der Nibelungen. Das befindet sich am Ende der Welt. Dort liegt der Schatz der Nibelungen. Er gehört

---

[1] **lügen** nicht die Wahrheit sagen   [2] **jammern** sich beklagen

Siegfried. Zwerg[1] Alberich, der oberste Hüter des Schatzes kommt herbeigelaufen. Siegfried packt ihn am langen Bart und befiehlt[2] ihm, so viele Krieger wie möglich herbeizurufen. Diese kommen aus allen Teilen des Landes und Siegfried kann die Besten unter ihnen aussuchen. Er fährt mit ihnen nach Island.

Als Brünhild die Hünen sieht, weiß sie, dass sie endgültig verloren hat:

„Bevor ich für immer die Insel verlasse, will ich meinen Rittern ein Abschiedsgeschenk machen", sagt sie und schließt mit einem goldenen Schlüssel eine kleine Tür des Schlosses auf. Als die Tür aufgeht, sieht man Berge von Gold und Edelsteinen.

König Gunther befiehlt Siegfried, den gesamten Schatz an das Volk zu verteilen. Da protestiert Brünhild:

„Wenn du alles verteilen lässt, bleibt nichts mehr für mich übrig!"

„Mach dir keine Sorgen! Ich bin so reich, dass du nichts Anderes mehr brauchst!", gibt König Gunther zur Antwort.

---

[1] **r Zwerg, e** kleingewachsener Mensch

[2] **befehlen, befiehlt, befahl, hat befohlen** bestimmen

Aber der Burgunder-König ist klug: Er will Brünhild ohne Schatz lassen, damit sie ihre Macht[1] verliert und ihm nicht mehr gefährlich werden kann.

Als Brünhild die Insel verlässt[2], weiß sie nicht, dass sie sie nie mehr wiedersehen wird.

Auf der langen Rückfahrt ins Burgund planen sie die Hochzeit und König Gunther kann es nicht erwarten, dass Brünhild endlich seine Frau wird.

In Worms erwartet ein großer Festzug das Paar. Kriemhild umarmt ihren Bruder und heißt Brünhild willkommen. Die Leute feiern Tag und Nacht. Inmitten der Festlichkeiten geht Siegfried zu König Gunther:

„Ich hoffe, du hast dein Versprechen nicht vergessen", sagt er zu ihm. „Weißt du noch, dass du mir deine Schwester Kriemhild versprochen[3] hast?"

„Ich will Wort halten", antwortet der König und befiehlt seinen Vertrauten: „Ruft nach Kriemhild, sie soll zu uns kommen!"

Wenige Minuten später kommt Kriemhild in den Saal. Sie hat nur Augen für Siegfried. Als ihr

---

[1] **e Macht, "e** Herrschaft
[2] **verlassen, verlässt, verließ, hat verlassen** weggehen
[3] **versprechen, verspricht, versprach, hat versprochen** versichern

König Gunther sagt, dass sie seine Frau werden soll, ist sie überglücklich. Alle sind fröhlich.

Nur Brunhild fängt zu weinen an.

„Warum weinst du denn?", fragt König Gunther, der neben ihr sitzt.

„Kriemhild ist eine Königstocher und Siegfried nur dein Diener. Ich weine für Kriemhild", lügt Brünhild. Sie ist eifersüchtig[1] auf Kriemhild.

„Ich werde dir das später erklären", antwortet ihr König Gunther.

Doch Brünhild hört nicht zu weinen auf.

„Ich werde dich nicht heiraten, bis ich nicht genau weiß, wer Siegfried ist und woher er wirklich kommt", sagt sie zu ihrem Verlobten.

„Siegfried ist ein Königssohn wie ich. Sein Vater ist der König der Niederlande. Er ist schon seit langer Zeit in meine Schwester verliebt und hat lange auf sie gewartet. Sie werden glücklich sein zusammen."

Bei diesen Worten weint Brünhild noch mehr und hört nicht mehr mit Weinen auf.

---

[1] **eifersüchtig** missgünstig

Worte & Wörter

1 Finde das passende Adjektiv.

Beispiel: 1 – B

1	☒ Kraft	**A**	glücklich
2	☐ Glück	**B**	kräftig
3	☐ Liebe	**C**	festlich
4	☐ Macht	**D**	verliebt
5	☐ Fest	**E**	mächtig

Strukturen & Satzbau

2 Adjektivsteigerung. Setze die richtige Form ein:

Beispiel:
Alberich ist .... (hässlich) als Siegfried.
Alberich ist hässlicher als Siegfried.

1 Siegfried ist .... (stark) als König Gunther.

2 Island ist .... (klein) als das Burgund.

3 Kriemhild ist .... (schön) als Brünhild.

4 Er hat .... (viel) Gold als sie.

3 Korrigiere die Sätze.

Beispiel:
Alberich sind ein Zwerg.
Alberich ist ein Zwerg.

1 Brünhild ist der Königin von Island.

....

2 König Gunther ist so starke wie Brünhild.

....

3 Siegfried helft König Gunther.

....

4 Brünhild kommt mit König Gunther in Worms.

....

5 Kriemhild wollen Siegfried heiraten.

....

6 Worms ist die Hauptstädte von Island.

....

Fit in Deutsch 2 – Lesen

4 Lies den Artikel und beantworte die Fragen mit falsch (F) oder richtig (R).

Archäologische Funde

Die Burgunder waren im Mittelalter bekannt für ihre Waffen. Eisen war das wichtigste Material, um Waffen herzustellen. Aber sie brauchten auch Silber. Mit Silber stellten sie Gürtelverschlüsse von enormer Größe her. Dabei waren sie sehr phantasievoll: Figürliche Darstellungen auf Gürtelverschlüssen waren nicht selten. Sie zeigten das Kreuz, das Leben Christi oder den Propheten Daniel. Der Prophet war stets mit Löwen abgebildet. Von den Gürteln glaubte man, dass sie dem Träger Schutz und Unverletzlichkeit verleihen. In einer Ortschaft in der Nähe von Worms beweisen archäologische Funde burgundische Anwesenheit. In 56 Gräbern wurden Urnen und Skelette festgestellt. Gefunden wurden viele Einzelstücke: Schüsseln, Schalen, Urnen, Pfeilspitzen, Beile, Fibeln, Becher, Ringe, Schnallen, Glasperlen, Schwerter usw.

Beispiel:

	F	R
Die Burgunder machten Gürtelverschlüsse aus Silber.	☐	☑
1 Die Burgunder stellten Waffen her.	☐	☐
2 Die Waffen waren aus Silber.	☐	☐
3 Archäologische Funde bei Worms stammen von den Burgundern.	☐	☐
4 Die Gräber waren leer.	☐	☐
5 Eisen war ein wichtiges Material.	☐	☐

Kapitel 3

Der Tod von Siegfried

▶ 4　In Worms beginnt die Doppelhochzeit. Zwei Wochen dauert das Hochzeitsfest. Dann kehren die letzten Gäste nach Hause zurück. Auch Siegfried fährt mit Kriemhild in die Niederlande. Die Eltern von Siegfried sind froh über die Rückkehr des Sohnes und übergeben ihm die Krone[1]. Siegfried regiert zehn Jahre lang. Er ist ein guter König. Er vereint[2] die Niederlande mit dem Reich der Nibelungen. Somit wird er zu einem der reichsten und mächtigsten Könige überhaupt.

In Worms dagegen findet Brünhild keine Ruhe. Sie hat gemerkt, dass sie im Kampf gegen König Gunther getäuscht worden ist. Sie möchte endlich die Wahrheit wissen. Aber sie ist auch eifersüchtig auf Kriemhild.

Als am Hof ein großes Fest stattfindet, schickt sie eine Einladung an Siegfried und Kriemhild. Die beiden nehmen die Einladung an. Vor allem Kriemhild freut sich darauf, nach einem Jahrzehnt

[1] **e Krone, en** Symbol des Königs
[2] **vereinen** zusammentun

wieder in ihre alte Heimat zurückzukehren. Als die königlichen Gäste in Worms ankommen, beginnt ein grandioses Fest.

Doch nach einer Woche fangen Brünhild und Kriemhild zu streiten[1] an.

„Siegfried ist ein schöner und tapferer Mann, aber er ist nur der Diener von König Gunther", bemerkt Brünhild zu Kriemhild.

„Dann wollen wir heute Abend vor der Messe sehen, ob Siegfried deinem Gunther gleichgestellt[2] ist", ruft Kriemhild wütend: „Ich werde vor dir in den Dom gehen, um zu beweisen, dass ich mächtiger bin als du."

Die beiden Königinnen laufen in die Burg, um sich für die Messe umzuziehen. Jede will schöner sein als die andere.

Vor dem Kirchentor treffen sie aufeinander. Kriemhild beleidigt[3] Brünhild: „Ohne Siegfried hätte dich König Gunther nie erobert. Sie haben dich betrogen."

Da fängt Brünhild zu weinen an.

Kriemhild betritt vor ihr die Kirche.

---

[1] **streiten, stritt, hat gestritten** heftig diskutieren
[2] **gleichgestellt** von gleichem sozialen Rang
[3] **beleidigen** mit Wörtern verletzen

Jetzt ist der Hass groß. Die Burgunder wollen Brünhild helfen. Die ganze Nacht überlegen sie, wie sie das Unrecht wiedergutmachen können. Doch sie haben Angst vor Siegfried.

„Auch Siegfried muss eine schwache Stelle haben, wo er verwundbar ist. Wir wollen Kriemhild fragen", schlägt Hagen vor.

„Sie wird Siegfried nicht verraten[1]", meinen die anderen Ritter.

„Sie ist eine Burgunderin", antwortet Hagen, „und als solche wird sie immer zu uns halten."

Am Hof von Worms denken sie sich eine Falle[2] aus. Sie lassen feindliche Ritter zur Burg kommen. Am nächsten Tag melden sie dem Volk, dass es Krieg geben werde. Siegfried geht sofort zu König Gunther und bietet ihm seine Hilfe an.

„Warum hast du nicht sofort nach mir gerufen? Vertraust du mir nicht mehr? Wenn es Krieg gibt, dann kämpfe ich auf jeden Fall mit euch!"

„Ich danke dir", antwortet König Gunther: „Es ist ein großes Glück, einen Freund wie dich zu haben. Ich nehme deine Hilfe gerne an."

---

[1] **verraten, verrät, verriet, hat verraten** denunzieren
[2] **e Falle, n** Täuschung

Nach wenigen Tagen steht das Heer der Burgunder-Könige bereit, um nach Norden zu reiten. Die Mädchen und Frauen weinen. Sie wissen nicht, dass ihr König und seine Vertrauten ihren besten Freund in eine Falle locken[1] wollen.

Hagen lässt sich bei Kriemhild melden:

„Ich möchte dir im Namen des Königs sagen, wie glücklich wir darüber sind, dass Siegfried ein so guter Freund der Burgunder ist. Wir möchten auf keinen Fall, dass ihm etwas passiert. Deshalb bin ich gekommen. Gibt es etwas, das wir wissen müssen, um sein Leben zu schützen[2]?"

„Ich danke dir für den Besuch. Ich habe große Angst um Siegfried. Es ist mutiger als alle anderen und kennt keine Gefahr", antwortet Kriemhild.

„Gibt es eine Stelle, an der Siegfried verletzbar ist? Sag es mir, dann kann ich ihn in der Schlacht besser schützen", fragt Hagen schlau.

„Wir gehören zur gleichen Familie. Daher will ich dir ein Geheimnis[3] verraten: Siegfried ist nur an einer einzigen Stelle verwundbar. Als er nämlich im Blut des Drachen badete, ist ein

---

[1] **in eine Falle locken** böswillig in Gefahr bringen
[2] **schützen** aufpassen, hüten
[3] **s Geheimnis, e** etwas, das niemand weiß

Blatt auf seinen Rücken gefallen. Dort ist keine Hornhaut[1] gewachsen. Nur an dieser Stelle ist Siegfried verwundbar."

Mit diesen Worten hat Kriemhild ihren Geliebten verraten.

Am nächsten Morgen reiten die ersten Männer los. Kaum sind sie außer Sicht, reiten zwei Ritter zur Burg. Sie melden König Gunther, dass es kein Krieg mehr geben wird. Die Angst der Feinde vor König Siegfried sei zu groß.

Siegfried ist enttäuscht. Er hatte sich auf den Kampf gefreut. König Gunther lässt ihn zu sich rufen:

„Sei nicht traurig! Ich will dich für deine treuen Dienste belohnen und eine Jagd[2] organisieren. Die wird dich auf andere Gedanken bringen."

Siegfried vergisst seine Enttäuschung und ist sofort dazu bereit, mit seinen Freunden auf die Jagd zu gehen. Siegfried ist ein hervorragender Jäger.

Als Kriemhild von der geplanten Jagd erfährt, erschrickt[3] sie. Sie hat Angst um das Leben ihres

---

[1] **e Hornhaut (*nur Sg.*)** sehr harte Haut
[2] **e Jagd (*nur Sg.*)** Töten wilder Tiere
[3] **erschrecken, erschrickt, erschrak, ist erschrocken** Angst haben

Liebsten und möchte ihm erzählen, was sie Hagen verraten hat. Aber Siegfried würde ihr nicht glauben.

Sie bittet ihn, nicht auf die Jagd zu gehen:

„Ich bitte dich, Siegfried, bleib bei mir! Geh nicht auf die Jagd!"

Doch Siegfried lacht nur:

„Mach dir keine Sorgen, ich habe keine Feinde! Die Burgunder sind meine besten Freunde. Ich würde mein Leben für sie riskieren. Ich habe niemandem etwas Schlechtes getan. In ein paar Tagen bin ich wieder da!"

Er umarmt[1] seine Frau ein letztes Mal. Dann geht er.

Auf der Jagd beweist Siegfried wieder einmal seine Kraft. Er ist schneller als alle anderen und der beste Jäger weit und breit. In kürzester Zeit hat er ein Wildschwein[2] und einen Bären[3] getötet.

Nach ein paar Stunden treffen sich die Jäger zu einem reichen Essen. Doch es gibt weder Wein noch Wasser.

---

[1] **umarmen** küssen
[2] **s Wildschwein, e** wildes Schwein
[3] **r Bär, n** großes, gefährliches Pelztier

„Wie ist es möglich, dass es nichts zu trinken gibt?", fragt Siegfried. „Mein Durst wird immer größer!"

„Es tut mir leid. Ich habe die Getränke vergessen. Aber ich kenne eine Quelle[1] hier in der Nähe. Dort gibt es frisches Wasser!", ruft Hagen.

„Dann los, wir wollen sofort dorthin gehen", antwortet Siegfried. Er denkt an nichts Böses. Die beiden gehen alleine los.

Als sie an der Quelle ankommen, beugt sich Siegfried über das Wasser, um zu trinken. In diesem Moment sticht[2] Hagen von hinten dem Helden genau ins Herz. Siegfried ist sofort tot.

---

[1] **e Quelle, n** Ort mit Wasser
[2] **stechen, sticht, stach, hat gestochen** mit einem Messer treffen

Strukturen & Satzbau

1 Schreib die Sätze im Perfekt.

Beispiel:
Die Ritter kämpfen.
Die Ritter haben gekämpft.

1 Sie locken ihn in die Falle.

....

2 Siegfried geht mit ihnen auf die Jagd.

....

3 Das Hochzeitsfest dauert zwei Wochen.

....

2 Trennbare Verben. Ergänze die Sätze.

Beispiel:
Schon bald ....sie ....(abreisen)
Schon bald reisen sie ab.

1 Siegfried .... nach Hause ....
(zurückkehren).
2 Sie .... die Gäste zur Doppelhochzeit ....
(einladen).
3 Er .... an der Quelle .... (ankommen).
4 Nach einer Woche ....sie zu streiten ....
(anfangen).

3 Negation. Verneine die Sätze.

Beispiel:
Brünhild bleibt in Island.
Brünhild bleibt nicht in Island.

1 Brünhild weint.

....

2 Siegfried ist ein Diener.

....

3 Brünhild will König Gunther heiraten.

....

4 Der Schatz der Nibelungen ist klein.

....

Worte & Wörter

4 **Welche Wörter gehören zusammen?**

Beispiel: 1 - E

1 $\boxed{E}$ Quelle
2 ☐ Messe
3 ☐ König
4 ☐ Jagd
5 ☐ Wein
6 ☐ Held

A Wildschwein
B Siegfried
C Dom
D Essen
E Wasser
F Krone

5 **Was stimmt? Kreuze richtig (R) oder falsch (F) an.**

	R	F
Beispiel: Kriemhild verrät das Geheimnis von Sigfried.	☑	☐
1 Siegfried hat keinen Durst.	☐	☐
2 Siegfried ist am Bauch verwundbar.	☐	☐
3 König Gunther lädt Siegfried zur Jagd ein.	☐	☐
4 Hagen will Kriemhild töten.	☐	☐
5 Hagen kennt eine Quelle im Wald.	☐	☐

Kapitel 4

Kriemhild bei den Hunnen

▶ 5   Der Tod von Siegfried ist schrecklich für Kriemhild. Sie ist traurig, aber auch wütend auf die Mörder[1] ihres Mannes. Zu Recht verdächtigt[2] sie Hagen und ihre Brüder. Als diese bei der Totenmesse an dem toten Siegfried vorbeigehen, fließt plötzlich Blut aus den Wunden[3]. Jetzt weiß sie, wer Siegried getötet hat. Trotzdem bleibt Kriemhild in Worms. Aber sie lebt fern vom Hof und in großer Trauer. Mehrere Jahre vergehen.

Eines Tages beschließen König Gunther und seine Brüder, wieder Frieden mit Kriemhild zu schließen. Heimlich hoffen sie, dass Kriemhild den Schatz der Nibelungen nach Worms bringen lässt. Kriemhild ist bereit, ihren Brüdern zu vergeben[4]. Aber Hagen nicht. Ihm wird sie nie vergeben.

Die Burgunder verlieren keine Zeit und reiten nach Norden, um den Schatz zu holen. Sie

[1] **r Mörder,** - Killer
[2] **verdächtigen** beschuldigen
[3] **e Wunde, n** Verletzung
[4] **vergeben, vergibt, vergab, hat vergeben** verzeihen, entschuldigen

40

brauchen Monate, um das viele Gold und die Edelsteine nach Worms zu bringen. Kriemhild wird reich und mächtig. Das passt Hagen nicht. Er warnt[1] den König:

„Kriemhild ist zu reich. Sie könnte uns gefährlich werden!"

Sie beschließen, den Schatz im Rhein zu verstecken[2]. Damit brechen die Könige wieder ihr Wort. Kriemhild verliert ihren Reichtum und ihre Macht.

Da passiert es, dass weit, weit entfernt vom Burgund die Frau des Hunnenkönigs Etzel stirbt. Er hat keine Kinder. Deshalb möchten seine Ritter, dass er wieder heiratet.

„Die schöne Kriemhild aus Worms wäre die richtige Frau für dich. Der starke Siegfried ist ihr Mann gewesen", sagen sie zu ihm. Doch der König hat Zweifel[3]:

---

[1] **warnen** eine Gefahr zeigen
[2] **verstecken** unsichtbar machen
[3] **r Zweifel, -** Unsicherheit

„Aber ich bin ein Heide[1]. Sie ist eine Christin[2]. Sie wird mich nie heiraten", meint er.

Doch seine Ritter haben schon entschieden: Kriemhild soll ihre neue Königin werden. Sie schicken eine Truppe los, die ins Burgund reisen soll. Der Weg ist weit und gefährlich. Fast zwei Wochen sind sie unterwegs. Dann kommen sie in Worms an. Sie tragen prächtige Kleider. Hagen erkennt die Hunnen. Er war als Kind bei ihnen aufgewachsen. Er begrüßt sie freundlich:

„Seid willkommen an unserem Hof! Was können wir für euch tun?"

„Wir möchten mit eurem König sprechen", antworten sie ebenso freundlich.

Hagen führt sie sofort zu König Gunther, der die Gäste im größten Saal des Schlosses empfängt und sie zu einem Festessen einlädt. Sie trinken und essen mit Appetit. Am Ende der Mahlzeit verraten ihm die fremden Ritter den Grund ihres Kommens:

„Wir machen uns Sorgen um unseren König. Er hat seine Frau verloren und hat keine Erben. Wir haben von der Schönheit Kriemhildes gehört

---

[1] r Heide, n Person, die nicht an Gott glaubt
[2] r Christ, en Person, die an Gott glaubt

und dass sie alleine ist. Wir sind sicher, dass sie die richtige Frau für unseren Herrscher wäre."

Als Hagen das hört, warnt er seinen König:

„König Etzel ist sehr mächtig. Wenn Kriemhild seine Frau wird, wird sie zur mächtigsten Königin der Welt. Das könnte dem Burgund Unglück bringen."

Doch König Gunther sieht keine Gefahr: „Das Land der Hunnen ist weit entfernt. Dazwischen liegen riesige Wälder und breite Flüsse. Wir brauchen keine Angst zu haben. Aber wir wollen Kriemhild fragen. Sie soll entscheiden!"

Kriemhild will zuerst nichts davon wissen:

„Ich bin zu alt und nicht mehr schön genug, um noch einmal zu heiraten. Ich wäre eine Fremde und sehr einsam[1] im Land der Hunnen."

Da versprechen ihr die Boten, dass sie am Hunnenhof fünfhundert Ritter beschützen werden. Da ist Kriemhild einverstanden. Sie weiß genau, warum. Bald darauf nimmt sie Abschied von Worms.

Sie ziehen durch Bayern und als sie die Donau erreichen[2], staunt[3] Kriemhild, wie breit der Fluss

[1] **einsam** alleine
[2] **erreichen** ankommen

[3] **staunen** sich wundern

43

ist. Auch die Berge sind viel höher als in ihrer Heimat. Sie ziehen weiter und kommen nach langer Zeit endlich vor Wien an, wo König Etzel auf sie wartet. Er freut sich über die Schönheit von Kriemhild. Das neue Paar wird jubelnd gefeiert und das Hochzeitsfest dauert viele Tage. Dann reist das Paar zur Burg von Etzel weiter.

Hier verbringt Kriemhild die nächsten Jahre in Frieden und großem Reichtum. Sie bringt einen Sohn, den kleinen Ortlieb, zur Welt. Kriemhild hat alles, was ihr Herz begehrt[1]. Trotzdem kann sie nicht vergessen, was ihre Brüder ihr angetan haben. Eines Tages findet sie den Mut, mit ihrem Mann zu sprechen.

„Mein Liebster, ich danke dir für alles, was du für mich getan hast und es geht mir auch gut bei dir, aber trotzdem vermisse[2] ich meine Brüder sehr. Ich möchte sie gerne zu uns einladen."

„Wenn du das möchtest, dann werden wir sie sofort einladen. Schon morgen sollen die Boten losreisen", antwortet König Etzel.

Kriemhild ist überglücklich. Am frühen

[1] **begehren** wollen, wünschen
[2] **vermissen** fehlen

Kapitel 4

Morgen nimmt sie den vordersten Boten zur Seite und sagt zu ihm:

„Richtet allen Grüße von mir aus und sagt, dass es mir gut geht. Aber vor allem passt auf, dass Hagen mitkommt. Er muss dabei sein. Und auch die Nibelungen."

„Wer sind denn die Nibelungen?", fragt der Bote erstaunt.

„Sie sind die Hüter des Nibelungenschatzes", antwortet Kriemhild.

Der Bote reitet mit den anderen los. Niemand weiß was Kriemhild im Schilde führt[1].

In Worms empfangen die Burgunder-Könige die Boten aus dem Hunnenland und überlegen, ob sie die Einladung annehmen sollen oder nicht. Hagen ist dagegen. Aber schließlich muss er einwilligen[2]. Die Könige beschließen, mit einem Heer von über tausend Mann zur Burg von Etzel zu reisen. ◼

[1] **im Schilde führen** vorhaben
[2] **einwilligen** einverstanden sein

Strukturen & Satzbau

1 Ergänze die Adjektivendungen.

Beispiel:
Der .... (breit) Fluss.
Der breite Fluss.

1 Die .... (schön) Kriemhild.
2 Der .... (mächtig) König.
3 Das .... (fremd) Land.
4 Die .... (treu) Ritter.

2 Setze den richtigen Possessivartikel in der passenden Form ein.

Beispiel:
Siegfried holt .... Schwert.
Siegfried holt sein Schwert.

1 Sie verdächtigt .... Bruder.
2 Etzel hat .... Frau verloren.
3 Die Hunnen lieben .... König.
4 König Gunther spricht mit .... Schwester.

Worte & Wörter

3 Unterstreiche das Wort, das nicht in die Reihe passt.

Beispiel: Edelstein - Gold - Silber – Wasser

1 Reiter - Motorrad - Turnier - Pferd
2 Küchenmesser - Schwert - Speer - Lanze
3 König - Ritter - Kaiser - Pilot

4 Finde die passende Erklärung.

Beispiel: 1 - D

1	☑ D Frieden schließen	**A**	planen
2	☐ das Wort brechen	**B**	sich beeilen
3	☐ keine Zeit verlieren	**C**	das Wort nicht halten
4	☐ Zweifel haben	**D**	Frieden machen
5	☐ im Schilde führen	**E**	unsicher sein

48

5 **Im Internet liest du die folgende Anzeige. Antworte mit einer E-Mail.**

Videogruppe! Leute mit originellen Ideen gesucht!

Wir sind 7 Personen und machen seit fünf Jahren Filme. Wir haben schon mehrere Preise gewonnen: den letzten beim internationalen Videofestival in Berlin. Jetzt möchten wir ein neues Video über deutsche Sagen drehen.
Dafür suchen wir Leute, die originelle Ideen haben. Wir müssen den Film bis Ende Oktober fertig haben.
Wir haben also noch vier Monate Zeit. Wer hat Lust und Zeit? Unsere E-Mail-Adresse ist: toller.film@mail.de
Antworte auf die folgenden Punkte mit einem oder zwei Sätzen.

1 Wer bist du? (Stell dich vor: Name, Alter, Schule, Familie usw.)
2 Welche Hobbys hast du?
3 Hast du schon einen Film gemacht?
4 Hast du eine gute Idee?

An:	
Cc:	
Bcc:	
Betreff:	

49

Kapitel 5

Die Niederlage
der Burgunder

▶ 6 Die Burgunder reiten so schnell sie können.
Aber die Reise ist lang und gefährlich. Nach dem
Schwarzwald kommen sie an die Donau. Es ist
Frühling und der Fluss führt Hochwasser[1]. Weit
und breit ist keine Fähre[2] zu sehen. Hagen geht
am Ufer entlang, um eine Stelle zu finden, wo
man den Fluss überqueren könnte. Dabei findet
er eine Quelle. Dort sind mehrere Nixen[3] am
Baden. Als sie Hagen sehen, schwimmen sie auf
den Fluss hinaus. Ihre Kleider haben sie am Ufer
zurückgelassen. Hagen nimmt sie an sich. Da ruft
eine der Nixen:

„ Lass uns die Kleider, edler Ritter, wir werden
dir sagen, wie deine Reise endet!"

Hagen legt die Kleider zurück.

„Du wirst siegreich nach Worms
zurückkehren", prophezeit eine der Badenden.

„Glaub ihr nicht", sagt da eine andere Nixe, „die
Reise bringt nur Unglück. Sie ist dein Verderben[4].

---

[1] s Hochwasser *(nur Sg.)* viel Wasser
[2] e Fähre, n Schiff, das Menschen transportiert
[3] e Nixe, n Wasserfrau
[4] s Verderben *(nur Sg.)* Unglück, Tod

50

Kriemhild will sich rächen[1]. Kehr um, solange du noch kannst."

„Ich habe keine Angst", antwortet Hagen, „schon gar nicht vor einer Frau. Wie soll eine einzige Frau tausend Burgundern gefährlich werden können?"

Aber die Nixe antwortet:

„Glaub mir! Ihr müsst alle euer Leben lassen! Alle bis auf einer. Nur euer Kaplan[2] wird lebend nach Worms zurückkehren!"

Hagen will nicht auf die Nixen hören:

„Ich glaube euch kein Wort! Sagt mir lieber, wo ich eine Fähre finden kann, statt Unwahrheiten zu erzählen!"

„Ein Stück weiter oben lebt ein Fährmann auf der anderen Seite des Flusses. Sag ihm, dass du sein Bruder bist. Dann kommt er bestimmt!", antworten ihm die Wasserfrauen.

Hagen geht stromaufwärts[3]. Dann sieht er das Haus des Fährmanns. Er ruft nach ihm. Doch niemand öffnet die Tür.

„Komm heraus, Fährmann! Hier steht dein

[1] **sich rächen** Unrecht wiedergutmachen
[2] **r Kaplan, e** Mann der Kirche
[3] **stromaufwärts** gegen die Flussrichtung

Bruder und wartet auf dich!", ruft er, diesmal etwas lauter.

Da kommt der Fährmann aus seinem Haus und steigt in die Fähre. Als er am anderen Ufer ankommt, springt Hagen in das Boot.

Da merkt der Fährmann, dass er betrogen worden ist:

„Du bist nicht mein Bruder! Steig sofort wieder aus!"

Doch Hagen gibt nicht auf:

„Ich bezahlen dich. Wir sind ein ganzes Heer. Wir müssen alle über den Fluss."

Als der Fährmann immer noch nicht will, schlägt[1] ihm Hagen den Kopf ab. Die Fähre driftet stromabwärts bis zum wartenden Heer.

„Wo ist der Fährmann?", fragt ihn König Gunther.

„Es gibt keinen Fährmann; ich habe das Boot am Ufer gefunden", lügt Hagen.

„Wie kommen wir ohne Fährmann über die

---

[1] **den Kopf abschlagen, schlägt ab, schlug ab, hat abgeschlagen** enthaupten

Donau?", fragen die Burgunder.

„Ich werde euch alle hinüberbringen", antwortet Hagen und steuert das Boot.

Die Ritter steigen auf die Fähre. Hagen fährt los. Plötzlich muss er an die Prophezeiung der Nixen denken. 'Wir wollen sehen, wer Recht behält', denkt Hagen und blickt auf den Kaplan. Dieser sitzt ganz hinten in der Fähre. Hagen stellt sich hinter ihn und gibt ihm einen Schlag[1] mit dem Ruder[2]. Der Kaplan fällt in den Fluss.

„Hilfe, Hilfe", ruft er und versucht, sich mit der Hand an der Fähre festzuhalten.

Da schlägt Hagen schlägt noch einmal zu. Der Kaplan scheint verloren. Doch er hat Glück; das Wasser spült ihn ans Ufer. Er ist gerettet.

Die Burgunder reisen weiter und kommen nach vielen Tagen vor der Burg des Hunnenkönigs an. Hier warten Attila und Kriemhild auf sie. Doch Kriemhild begrüßt nur ihre Brüder und beachtet die anderen Ritter kaum.

„Warum begrüßt du uns nicht?", fragt Hagen

---

[1] **r Schlag, "e** Hieb, Stoß
[2] **s Ruder, -** Teil des Bootes

die Hunnenkönigin. „Wir haben eine lange Reise hinter uns!"

„Warum soll ich dich begrüßen? Oder hast du etwa den Schatz der Nibelungen mitgebracht?", fragt Kriemhild zurück: „Er gehört mir. Wo ist er?"

„Den Schatz der Nibelungen willst du? Der ist im Rhein versteckt. Da wird er wohl auch bleiben", antwortet Hagen.

„Woher hast du den Mut, so mit mir zu sprechen?", fragt Kriemhild wütend. „Du hast Siegfried getötet!"

„Das stimmt", gibt Hagen zu, „aber du hast die Königin Brünhild beleidigt. Doch jetzt lass uns durch, wir möchten mit König Etzel sprechen."

Die Burgunder ziehen in den Festsaal des Königs. Hier hat König Etzel ein reiches Festmahl für die Gäste vorbereitet. Auch der kleine Sohn von Kriemhild ist dabei. Doch während sie am Tisch sitzen, passiert etwas Schreckliches am Hof.

Die burgundische Truppe und die hunnischen Ritter fangen plötzlich heftig zu streiten und kämpfen an. Sie hören erst auf, als fast alle tot am Boden liegen. Nur ein paar Burgunder sind noch am Leben. Sie gehen zum Festsaal, wo die Könige sind. Als Hagen erfährt, was passiert ist, befiehlt er ihnen, die Tür zu schließen.

„Niemand soll seinem Schicksal[1] entgehen!", ruft er.

Dann packt er den kleinen Königssohn.

„Er soll den Anfang machen!", schreit er wie von Sinnen und schlägt dem Knaben den Kopf ab.

Jetzt ist Hagen ist nicht mehr aufzuhalten. Mit seinem Schwert geht er auf die Hunnen los. Ein blutiger Kampf beginnt. Die Burgunder sind stärker als die Hunnen. Aber sie wissen, dass sie verloren sind. Sie treten vor Etzel, um mit ihm zu sprechen. Dieser kann vor Trauer über den Tod seines Sohnes kaum sprechen.

„Was wollt ihr noch von mir? Ihr habt meinen Sohn getötet! Wie kann ich euch je vergeben? Ihr werdet eure Heimat nicht wiedersehen!", sagt er mit gebrochener Stimme.

„Eure Leute haben unsere Männer angegriffen,

---

[1] **s Schicksal *(nur Sg.)*** Prädestination

wir wollten keinen Kampf!", antwortet ihm Gunther. „Doch hör zu! Wir haben einen letzten Wunsch. Öffne das Tor der Burg! Wir wollen im Freien sterben."

König Etzel will ihnen diesen letzten Wunsch erfüllen. Da meldet sich Kriemhild zu Wort.

„Hört nicht auf sie, mein Geliebter, sie wollen uns alle töten!"

Kriemhild weiß genau, was auf dem Spiel steht. Sie ruft die hunnischen Ritter zusammen.

„Treibt die Burgunder in die Burg zurück und zündet[1] den Saal an!", befiehlt sie ihnen.

Die Hunnen gehorchen der Königin und treiben die Fremden in die Burg zurück. Dann zünden sie den Saal an. Von weitem sieht man das Feuer. Wie durch ein Wunder[2] überleben Hagen und die Burgunder-Könige. Aber sie sind jetzt Gefangene von Kriemhild.

Diese setzt sich auf den Thron von König Etzel und will mit Hagen sprechen. Als er vor ihr steht, befiehlt sie ihm:

„Gib mir den Schatz der Nibelungen zurück!"

[1]**anzünden** Feuer legen
[2]**s Wunder, -** Zauberei

58

„Ich bleibe meinem König treu! Solange er lebt, werde ich nicht verraten, wo der Schatz liegt", antwortet Hagen.

Da lässt Kriemhild König Gunther töten.

„Jetzt kannst du reden", sagt sie.

„Ich verrate dir nichts", antwortet Hagen.

Da nimmt Kriemhild sein Schwert und schlägt ihm den Kopf ab. König Etzel sieht mit Schrecken zu. Ein Ritter tötet Kriemhild.

Die Rache ist zu Ende.

Worte & Wörter

1 Wie heißen die Verwandten?

Beispiel: Die Schwester von meiner Mutter ist meine Tante.

1 Die Mutter von meiner Mutter ist meine.............................

2 Der Vater von meinem Vater ist mein ....

3 Der Bruder von meinem Vater ist mein ....

Strukturen & Satzbau

2 Setz die richtig konjugierten Verben ein.

bleiben – liegen - leben - werden - ~~sein~~ - gehören

Beispiel: Wo .... er? Wo <u>ist</u> er?

1 Ich .... meinem König treu.

2 Ich .... nicht verraten, wo der Schatz ....

3 Solange er ....

4 Der Schatz .... mir.

3 Schreib die richtige Präposition in die Lücke.

Beispiel: Wie könnt ihr so ...... mir sprechen?

Wie könnt ihr so mit mir sprechen?

A *an*   **B** *mit*   **C** *in*

1 Sie treiben die Burgunder .... den Saal zurück.

A in

B im

C um

2 Sie setzt sich .... den Thron.

A unter

B über

C auf

3 Sie kommen .... die Donau.

A auf

B am

C an

4 **Thema: Kleidung. Stell Fragen mit den Fragewörtern in den kleinen Kreisen.**

Beispiel: Wo hast du das T-Shirt gekauft?

Lesen & Lernen

5 **Kreuzworträtsel**

1 Er ist der erste Ehemann von Kriemhild
2 Er ist ein Zwerg
3 Sie will Rache
4 Er tötet Siegfried
5 Er heiratet Brünhild
6 Er ist der König der Hunnen

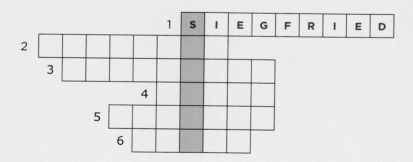

Wie heißt das Lösungswort? ....

Auf der Bühne

Personen:

Siegfried	Etzel
König Gunther	Volk
Kriemhild	Hunnische Boten
Hagen	Ritter
Brünhild	

Szene 1: Schloss der Burgunder-Könige in Worms. Siegfried trifft am Hof ein.

Hagen: Wer bist du, stolzer Fremder?

Siegfried: Ich bin Siegfried, der Sohn von König Siegmund und Königin Sieglinde der Niederlande.

Hagen: Herzlich willkommen! Was führt dich zu uns?

Siegfried: Ich habe von der Schönheit euer Königin Kriemhild gehört. Ich möchte mit ihrem Bruder, König Gunther sprechen.

Hagen: Ich will es dem König sagen und sehen, ob er bereit ist, dich zu empfangen.

Hagen geht zu König Gunther.

Hagen: Mein König, ein stolzer Jüngling möchte mit dir sprechen. Er sagt, dass er der Sohn vom König der Niederlande sei.

König Gunther: Was ist sein Wunsch?

Hagen: Er möchte deine Schwester Kriemhild heiraten.

König Gunther: Dann wollen wir ihn auf die Probe stellen. Wir werden ihn bei uns aufnehmen und sehen, ob er Kriemhild verdient.

Hagen lässt Siegfried sagen, dass er im Schloss bleiben kann und sich dort wie zu Hause fühlen soll.

Szene 2: *Die Leute laufen auf der Straße zusammen. Sie haben gehört, dass es Krieg geben soll und haben Angst. Siegfried geht zu König Gunther.*

Siegfried: Ist es wahr, dass die Nachbarn das Burgund angreifen wollen?

König Gunther: Gestern haben wir die schlimme Nachricht erhalten.

Die Nachbarn sind viel stärker als wir.

Siegfried: Ich habe vor niemandem Angst! Hab Vertrauen zu mir! Ich habe schon viele Kämpfe gewonnen. Ich werde dem Feind entgegenreiten. Gebt mir ein paar von euren besten Männern!

Siegfried zieht mit einer Truppe der tapfersten Ritter los. Nach ein paar Monaten kehren sie siegreich zurück.

König Gunther: Wir verdanken dir unser Leben, lieber Siegfried! Was hätten wir ohne dich gemacht? Lass uns den Sieg zusammen feiern!

Siegfried: Vergisst du nicht etwas Wichtiges, lieber König?

König Gunther: Du hast Recht! Wir werden Kriemhild rufen. Du sollst sie endlich kennenlernen. Aber ich möchte dich um einen Gefallen bitten. Auch ich möchte heiraten. Du musst mich nach Island begleiten, wo Königin Brünhild wohnt.

Siegfried: Willst du mit der isländischen Königin kämpfen? Sie ist sehr stark. Überleg dir das gut!

König Gunther: Ich will keine andere als sie. Auch wenn ich mein Leben riskieren muss!

Siegfried: Dann müssen wir klug sein und uns einen Plan ausdenken. Ich habe schon eine Idee!

König Gunther: Mir soll es recht sein. Wann geht es los?

Siegfried: So bald wie möglich!

Szene 3: *Siegfried, König Gunther und zwei Ritter*

fahren über das Meer und kommen in Island an.
Brünhild steht am Tor des Schlosses.

Brünhild: Willkommen in meinem Reich!
Was ist der Grund der langen Reise?

Siegfried: Welche Freude, dich wiederzusehen,
Brünhild! Du bist noch schöner geworden,
seit wir uns das letzte Mal gesehen haben!
Ich bin gekommen, um König Gunther
von Burgund einen Gefallen zu erfüllen. Er
will um dich kämpfen.

Brünhild: Du kennst die Bedingungen! Wenn
dein König den Kampf verliert, muss er
sein Leben lassen und du mit ihm!

Siegfried: Ich weiß. Wir werden sehen, wer der
Stärkere ist!

Während Brünhild sich für den Kampf umzieht, holt
Siegfried die Tarnkappe und stellt sich unsichtbar
hinter König Gunther. Nach langem Kampf ergibt sich
Brünhild.

Brünhild: Ich habe verloren! Ab heute gehören
ich und mein Reich König Gunther!

Da sieht Brünhild Siegfried, der inzwischen seine
Tarnkappe zum Schiff zurückgebracht hat.

Siegfried (*arglos*): Wann beginnt der Kampf?

Brünhild: Er ist schon vorbei! Ich habe verloren! Wo warst du denn die ganze Zeit?

Siegfried: Unten beim Schiff. Sei nicht unglücklich, du heiratest einen reichen Mann! Schon bald wirst du die Königin von Burgund sein!

Szene 4: *Kriemhild und Siegfried sind zu Gast am Hofe von Worms. Brünhild ist eifersüchtig und provoziert eines Tages plötzlich Kriemhild. Die beiden Königinnen fangen heftig zu streiten an.*

Brünhild: König Gunther ist mächtiger und stärker als alle im Burgund! Du hast nur den Diener meines Mannes geheiratet. Welche Blamage für eine Königstocher!

Kriemhild: Siegfried ist ein Königssohn und meinem Bruder gleichgestellt! Ohne seine Hilfe hätte er dich nie besiegt!

Brünhild: Das ist nicht wahr! Du bist eine Lügnerin!

Kriemhild: Geh mir aus dem Weg, armes Dummchen!

Die beiden Frauen beschimpfen sich und der Streit wird

immer schlimmer. Die Burgunder Könige und Hagen wollen Brünhild verteidigen. Kriemhild verrät Hagen, wo Siegfried verwundbar ist. Die Männer gehen auf die Jagd.

Siegfried: Wir sind schon viele Stunden im Wald und haben gut und viel gegessen! Aber jetzt habe ich Durst. Was gibt es zu trinken?

Hagen: Leider haben wir den Wein vergessen. Doch ich kenne eine Quelle hier in der Nähe. Dort gibt es frisches, wunderbares Wasser.

Siegfried: Worauf warten wir noch? Dann nichts wie los! Wir wollen sofort dorthin gehen. Ist es weit?

Hagen: Nein, nein, nur ein paar Minuten von hier!

Die beiden machen sich auf den Weg. Als sich Siegfried niederbeugt, um an der Quelle zu trinken, sticht Hagen zu und tötet Siegfried. Als Kriemhild von seinem Tod erfährt, ist sie untröstlich.

Szene 5: *Boten aus dem Hunnenland kommen nach Worms. Sie wollen mit dem König sprechen.*

Boten: Unser König hat seine Frau verloren und hat keine Erben. Wir wissen, dass Kriemhild schon lange allein lebt. Vielleicht ist sie bereit, unseren König zu heiraten.

König Gunther: Ich will mit Kriemhild sprechen.

König Gunther geht mit Hagen zu Kriemhild.

König Gunther: Liebe Schwester, deine Schönheit ist über alle Grenzen hinaus bekannt geworden. Heute sind sogar Boten aus dem Hunnenland wegen dir gekommen. Ihr Herrscher, der mächtige König Etzel, möchte dich heiraten.

Kriemhild: Wie kann er so frech sein? Ich bin eine Christin und er ist ein Heide. Außerdem bin ich noch immer traurig wegen Siegfried.

König Gunther: Ich weiß, wie sehr du Siegfried geliebt hast. Aber überleg dir deine Antwort gut! König Etzel ist sehr reich und mächtiger als alle anderen Könige.

Wenn Kriemhild Etzel heiratet, kann sie viel Macht zurückgewinnen und sich doch noch an den Mördern von Siegfried rächen.

Kriemhild: Du hast Recht, lieber Bruder! König Etzel ist berühmt für seinen Reichtum und seine unbegrenzte Macht. Lass ihm sagen, dass ich einverstanden bin.

Hagen (*tritt zum König und flüstert ihm ins Ohr*)**:** Sei vorsichtig, mein König! Als Frau des Hunnenkönigs kann Kriemhild den Burgundern gefährlich werden!

König Gunther (*leise zu Hagen*)**:** Mach dir keine Sorgen! Wie soll sie den Burgundern gefährlich werden? Das Hunnenland ist viel zu weit entfernt!

Kriemhild und eine kleine Truppe treuer Ritter macht sich auf die Reise. Sie sind lange unterwegs, bis sie vor den Toren Wiens auf Etzel treffen.

König Etzel: Herzlich willkommen! Du bist noch viel schöner, als mir erzählt worden ist!

Kriemhild: Danke für den liebevollen Empfang! Ich bin neugierig darauf zu sehen, wie groß dein Besitz ist!

König Etzel: Aber gerne! Alles, was mir gehört, soll auch dir gehören.

Kriemhild: Dann lass uns zu deinem Hof reisen!

Auf der Bühne

Viele Jahre sind vergangen seit der Ankunft von Kriemhild am Hof von König Etzel. Obwohl sie glücklich sein könnte, wartet Kriemhild nur auf den Moment, an dem sie sich an den Mördern ihres Mannes rächen kann. So schlägt sie eines Tages ihrem Manne vor, ihre Brüder einzuladen.

Kriemhild: Lieber Etzel, es geht mir gut bei dir. Ich habe alles, was man sich nur wünschen kann. Trotzdem habe ich manchmal Heimweh nach dem Burgund und meinen Brüdern. Ich möchte sie gerne zu einem Besuch einladen.

König Etzel: Wenn du das möchtest, dann bin ich gerne einverstanden. Wir wollen sofort ein paar Boten losschicken.

Als die Boten zur Reise bereit sind, nimmt Kriemhild den vordersten zur Seite.

Kriemhild: Hör gut zu, was ich dir sage. Du musst aufpassen, dass alle meine Brüder mitkommen! Aber vor allem soll auch Hagen dabei sein!

Bote (*etwas überrascht*): Wir werden sehen, dass alle mitkommen. Ich verspreche es!

Kriemhild: Dann wünsch ich euch eine gute

Reise! Kommt bald wieder und bringt die Burgunder mit!

Die Boten machen sich auf die weite und gefährliche Reise durch den Schwarzwald. Dann kommen sie in Worms an.

König Gunther: Sind das nicht Boten aus dem Hunnenland, wo meine Schwester lebt?

Hagen: So scheint das, mein König. Sie haben eine lange Reise hinter sich. Bestimmt haben sie uns etwas Wichtiges zu sagen. Wir wollen sie sofort empfangen!

König Gunther: Willkommen, fremde Reiter! Ihr kommt von weit weg! Habt ihr Nachrichten von meiner Schwester Kriemhild?

Boten: Ja, wir kommen von deiner Schwester. Es geht ihr gut, aber sie möchte, dass ihr sie besucht. Sie hat euch lange nicht mehr gesehen und hat Heimweh.

König Gunther: Es freut mich, dass es ihr gut geht. Wir werden über die Einladung nachdenken.

(zu Hagen gewandt): Was meinst du? Können wir die Reise riskieren?

Hagen: Lieber nicht, mein König! Das Risiko ist zu groß! Die Hunnen sind stark und sehr zahlreich. Wenn die Einladung eine Falle ist, können wir uns nicht verteidigen.

König Gunther: Wir müssen nur genügend Männer mitnehmen! Dann kann uns nichts passieren! Lass sofort tausend Ritter rufen! Sie sollen uns ins Hunnenland zu Kriemhild begleiten.

Hagen (*zu den Boten*)**:**
Der König hat entschieden! Sagt eurer Königin, dass wir kommen werden.

Szene 5: *Die Burgunder reisen durch den Schwarzwald und über die Donau bis an den Hof von König Etzel. Dort erwartet sie Kriemhild. Sie ist kühl und unfreundlich, vor allem zu Hagen.*

Kriemhild: Du bist also auch mitgekommen?

Hagen: Warum bist du so unfreundlich zu mir, Kriemhild? Wir haben eine lange Reise hinter uns!

Kriemhild: Warum sollte ich freundlich zu dir sein? Oder hast du mir etwa den Schatz der

Nibelungen mitgebracht?

Hagen: Der liegt an einem sicheren Ort versteckt! Solange der König lebt, verrate ich die Stelle nicht.

Kriemhild (*zu den Rittern*)**:** Tötet meinen Bruder, den König Gunther!

(*zu Hagen*)**:** So, jetzt kannst du sprechen.

Hagen: Ich werde dir nichts verraten, solange ich lebe!

Kriemhild: Dann stirb auch du!

Kriemhild schlägt Hagen vor dem entsetzten Gesicht ihres Mannes den Kopf ab. Dann fällt auch sie durch die Hand eines Ritters. Keiner der Burgunder wird seine Heimat wiedersehen.

Heldenepos

Der Nibelungenbrunnen in Tulln.

Das Nibelungenlied ist ein Heldenepos. Es entstand im Mittelalter, am Anfang des 13. Jahrhunderts.

Historische Quelle

Als historische Quelle dient das Ende des Burgunderreichs. Dieses ist im Jahre 436 durch die Römer mit Hilfe hunnischer Ritter zerstört worden.

Autor

Der Autor des Nibelungenliedes ist nicht bekannt. In dem Text verarbeitete ein unbekannter Dichter mehrere Erzählungen, die schon mehrere Jahrhunderte alt waren. Einige Geschichten gehen auf die Völkerwanderung zurück. Die Episoden waren sowohl mündlich als auch schriftlich von Generation zu Generation weitergegeben worden.

Form

Das Nibelungenlied ist in sangbaren vierzeiligen Strophen gedichtet. Die Melodie ist nicht mehr bekannt. Diese Form ist typisch für die Heldenepik. Die ca. 2400 Strophen des Nibelungenlieds sind in 39 aventiuren (sprich: Aventüren) unterteilt.

Sprache

Das Nibelungenlied ist im Mittelhochdeutsch des 12. Jahrhunderts geschrieben.
So beginnt das Lied der Nibelungen:

Uns ist in alten maeren wunders vil geseit
von helden lobebaeren, von grôzer arebeit
von fröuden, hôchgezîten, von weinen und
von klagen,
von küener recken strîten muget ir nu
wunder hoeren sagen.

Herkunft

Die Sage um die Nibelungen ist ursprünglich ein alter nordischer Stoff über das Schicksal der Götter. Entstanden ist er in Island. Später wird daraus ein mittelalterliches Epos über die Tragik des menschlichen Lebens. Die heidnischen, barbarischen Ursprünge der Erzählung sind erkennbar geblieben.

UNESCO-Weltdokumenterbe

Das UNESCO-Programm "Memory of the World" hat das Nibelungenlied zum Weltdokumentenerbe ernannt. Die Dichtung wird als eines der bedeutendsten Heldenepen des europäischen Raumes angesehen und ist vergleichbar mit der griechischen Troja-Sage. Die drei wichtigsten Handschriften werden in der Bayerischen Staatsbibliothek in München, in der Bibliothek des Klosters St. Gallen in der Schweiz und in der Landesbibliothek in Karlsruhe aufbewahrt. Dort liegt auch die älteste der im 13. Jahrhundert verfassten Schriften.

Die Nibelungen, Fritz Lang (1924).

Wer reiste im Mittelalter?

Es reisten: Adelige und Könige, Geistliche, Studenten, Pilger, Boten, Handwerker und Kaufleute Markt- und Zirkusleute. Manche Gegenden waren gefährlich. Man musste Angst vor Überfällen haben. Das Reisen war auch nicht billig. Man musste oft Zoll zahlen.

Der Rhein

Länge: 1320 km

Der Rhein ist der größte Fluss Deutschlands und verbindet die Alpen mit der Nordsee. Er fließt durch die Schweiz, Deutschland, Frankreich und Holland. Der Rhein entspringt in der Schweiz und fließt in Holland in die Nordsee. Er ist ein schiffbarer Fluss. Schiffe bis zu 3000 Tonnen können den Rhein befahren.Der bekannteste Rheinfall Europas ist der Rheinfall bei Schaffhausen in der Schweiz.

Die Donau

Länge: 2840 km

Die Donau ist der größte Fluss Österreichs. Sie verbindet 10 Länder Mittel- und Osteuropas miteinander: Deutschland, Österreich, Slowakei, Ungarn, Bulgarien, Moldawien, Ukraine, Serbien, Rumänien, Kroatien.

Die Donau entspringt in Deutschland, im Schwarzwald und fließt in Rumänien ins Schwarze Meer. Die Donau ist schiffbar. Wenn sie Hochwasser führt, kann sie für die Schifffahrt gefährlich werden.

76

Worms

Worms war die Hauptstadt des Burgunds und die Residenzstadt der Burgunder Könige. Worms ist eine der ältesten Städte Deutschlands. Die Kelten nannten die Stadt „Borbetomagus" und die Römer „Civitas Vangionen". Kaiser Karl der Große hatte eine spezielle Beziehung zu Worms. Wichtige Herrscher wie Heinrich IV., Friedrich Barbarossa und Friedrich II. machten die Stadt zum Mittelpunkt ihres Reiches.

Das Burgund und die Burgunder

Die Burgunder aus dem Nibelungenlied sind die Ur-Ur-Ur-Ahnen der heutigen Burgunder. Nachdem die Hunnen im 5. Jahrhundert das ursprüngliche Burgunderreich am Rhein und Main zerstört hatten, machte sich der Rest jener Helden auf, um im Gebiet der Rhone eine neue Heimat zu finden.

Nibelungenmuseum

Das multimediale Museum ist 2001 in Worms eröffnet worden. Es hat einen Sehturm, einen Hörturm und ein Mythenlabor. Der Besucher macht eine Reise in die Sagenwelt.

Tourismusstraßen

Das Nibelungenlied fasziniert auch heute noch die Menschen auf der ganzen Welt. Zwei Touristenstrecken sind in der Region um Worms entstanden: Sie heißen die Nibelungen- und Siegfried-Straße und sind über 100 Kilometer lang Sie durchqueren vier Bundesländer und gehen von Worms am Rhein bis Würzburg am Main.

Tiersymbole

Die Tiere hatten in der germanischen Mythologie verschiedene Bedeutungen.
Der Falke: Symbol des Mannes
Der Adler: Symbol für königlichen Stolz
Der Drache: Symbol für Heldentum

Der Schatz der Nibelungen

Der Schatz der Nibelungen oder Nibelungenhort ist ein märchenhafter Schatz, der dem König Nibelung im Nibelungenland (Norwegen) gehörte. Er besteht aus Gold und Edelsteinen. Wem der Schatz gehört, der ist unendlich reich und deshalb auch sehr mächtig.

Teste dich selbst!

1 Wer ist König Gunther?

- **A** ☐ Der König von Burgund.
- **B** ☐ Der König von Island.
- **C** ☐ Der König der Niederlande.

2 Wo liegt Worms?

- **A** ☐ Im Burgund.
- **B** ☐ An der Donau.
- **C** ☐ Bei Wien.

3 Was ist die Donau?

- **A** ☐ Ein Fluss.
- **B** ☐ Ein See.
- **C** ☐ ein Wald.

4 Warum stirbt Siegfried?

- **A** ☐ Weil er sein Schwert verliert.
- **B** ☐ Weil Kriemhild sein Geheimnis verrät.
- **C** ☐ Weil er alt ist.

5 Wer ist Etzel?

- **A** ☐ Der Ehemann von Brünhild.
- **B** ☐ Der König der Hunnen.
- **C** ☐ Der Bruder von König Gunther.

6 Alberich ist

- **A** ☐ Ein Zwerg.
- **B** ☐ Ein Ritter.
- **C** ☐ Ein König.

7 Die Tarnkappe macht Siegfried

- **A** ☐ Unverwundbar.
- **B** ☐ Unsichtbar.
- **C** ☐ Unbesiegbar.

8 Was passiert mit Kriemhild am Ende der Geschichte?

- **A** ☐ Sie kehrt ins Burgund zurück.
- **B** ☐ Sie lebt noch viele Jahre mit Etzel.
- **C** ☐ Sie stirbt.

9 Wem gehört der Schatz der Nibelungen?

- **A** ☐ König Gunther.
- **B** ☐ Siegfried und Kriemhild.
- **C** ☐ König Etzel.

Syllabus

Themen
Germanische Mythologie
Sagenwelt
Heldenepos
Mittelalter
Feudalherrschaft
Kampf
Neid
Liebe
Treue
Tod

Sprachhandlungen
zu einem vorgegebenen Thema Fragen stellen
auf Fragen antworten
spezifische Informationen verstehen
Ablauf einer Geschichte erkennen und wiedergeben
Notizen verstehen
Antwort schreiben auf Kleinanzeige
Zeitungsartikel vertehen
Wortschatzarbeit
Wortschatzvertiefung

Grammatik
Satzstruktur
Fragewörter
Steigerungsformen des Adjektivs
Adjektivdeklination
Verneinung
Possessivartikel
Präpositionen
zusammengesetzte Verben
Perfekt
Futur
Wortbildung
Komparativ

Junge ⟨ELi⟩ Lektüren

Niveau 1
Brüder Grimm, *Frau Holle*

Niveau 2
Anonym, *Till Eulenspiegel*
Mary Flagan, *Das altägyptische Souvenir*
Friedrich, *Schiller Wilhelm Tell*
Anonym, *Das Nibelungenlied*
B. Brunetti, *So nah, so fern*
Mary Flagan, *Hannas Tagebuch*
Maureen Simpson, *Tim und Claudia suchen
ihren Freund*

Niveau 3
E.T.A. Hoffmann, *Der Sandmann*
Maureen Simpson, *Ziel: Karminia*

ERWACHSENE ⟨ELi⟩ LEKTÜREN

Niveau 1
Emanuel Schikaneder, *Die Zauberflöte*

Niveau 2
Joseph Roth, *Die Kapuzinergruft*
J. F. von Eichendorff, *Aus dem Leben eines Taugenichts*
Theodor Fontane, *Effi Briest*

Niveau 3
J. W. von Goethe, *Die Leiden des jungen Werther*
Franz Kafka, *Die Verwandlung*